ADIVINHAS

LÍNGUA PORTUGUESA

Ciranda Cultural

LÍNGUA PORTUGUESA

1. O que os maus têm no começo e o bom só tem no fim, embora os bons não tenham?

2. Quando a letra "i" tem mais pingos?

3. O que começa com "A", tem dente e pode acontecer com qualquer um?

4. Qual a moeda de quatro letras que é trissílaba e tem nome de duas letras?

5. Qual é a palavra que começa com a letra "A" e termina lá embaixo?

6. **O que separa um jacaré de uma fruta?**

7. Como se faz para calar o mundo?

Respostas: 1. A letra "M"; 2. Quando o dicionário fica na chuva; 3. Acidente; 4. O iene; 5. Abismo; 6. A sílaba "ré"; 7. Tirando a letra "N". Aí fica "mudo".

8. O que o bebê tem, mas quem bebe não tem?

9. O que começa aqui, começa ali e acaba lá?

10. O que princípio muda, no final dança?

11. Qual o elemento sem o qual história não termina?

12. O que o ferro tem mais que o forno?

13. O que está em cima de todo relógio?

Respostas: 8. Acento circunflexo no "E"; 9. A letra "A"; 10. Mudança; 11. O ponto-final; 12. O ferro passa, o forno assa. (a letra "P"); 13. O acento agudo.

LÍNGUA PORTUGUESA

14. Qual a verdura que, sem as duas primeiras letras, é cara?

15. **Quem estava, está e estará sempre na moda?**

16. Qual a palavra de quatro letras que vale por sete?

17. Qual é o lugar onde o ar circula bem?

18. Em qual lugar a sexta-feira está antes da terça?

19. Qual é o sobrenome que cresce e vira fruta?

20. Por que o sapo tem ciúme da jiboia?

Respostas: 14. Alface; 15. As letras "M", "O", "D" e "A"; 16. Sete; 17. O convento; 18. No dicionário; 19. Melo, que vira Melão; 20. Porque ela vive perto da jia, um tipo de rã.

LÍNGUA PORTUGUESA

21. **Ao escrever uma carta para sua namorada, como o namorado expressa, sem querer, a sua pena por ela?**

22. Como dizer com apenas oito letras que Brasil, Argentina, Paraguai e Uruguai são os membros fundadores do Mercosul?

23. Sou a primeira de todas. Componho o guaraná. Estou no mar e na terra. Também no jacarandá. Quem sou eu?

24. O que na terra tem duas, no grande mar só tem uma, no inferno também só tem uma e no céu já não tem nenhuma?

25. Por que o verbo "haver" não se acha bonito?

26. Quando é que uma simples troca de letra torna qualquer objeto desprezível?

Respostas: 21. Quando escreve com paixão (compaixão); 22. Isso tudo; 23. A letra "A"; 24. A letra "R"; 25. Porque ele é irregular; 26. Tirando o "o" e colocando o "a" no seu início. Fica abjeto.

LÍNGUA PORTUGUESA

27. O que deixa o jardim mais belo, a comida mais gostosa e o rosto mais feio?

28. Qual a palavra que, se tirar a cor, fica o pó?

29. Qual poeta está em todos os países?

30. Qual o pé que faz mal ao diabético?

31. Quando o ovo fica mais velho?

32 Qual é a turma que mais brilha?

33. Por que bom não soa bem?

34. **O que significa uva?**

27. O cravo; 28. Corpo; 29.Manuel Bandeira; 30. Pé de moleque; 31. Quando colocam o „V" na frente dele, cortam o „O" do meio e acentuam o outro „O"; 32. A turmalina, pedra preciosa; 33. Porque é escrito com „O", não com „E"; 34. U VÁ ser chato assim lá longe!

35. Que transformação o Ramalho sofre para agradecer às namoradas?

36. Qual a palavra nobre que, acrescentando uma sílaba, fica mais nobre ainda?

37. Quando é que um caminho grande pode se tornar um meio de transporte?

38. Qual a palavra de oito letras que, tirando duas, ficam quinze?

39. Qual a letra que o bandido perde, quando vai embora à força?

40. **O que todas as mães têm;**
sem ele não tem pão;
e ele some no inverno
e aparece no verão?

Respostas: 35. Vira ramalhete (de flores, claro!); 36. VIScoNde; 37. Quando é um caminhão; 38. Quinzena; 39. O "D" da segunda sílaba. Fica banido; 40. O til (~).

LÍNGUA PORTUGUESA

41. Qual o peixe que, ao se tirar a primeira sílaba do nome dele, vira nobre?

42. O que o urso tem na frente e o urubu tem atrás?

43. Qual a aula preferida do Thor na escola?

44. Todos têm dois, você tem um e eu não tenho?

45. Quem mesmo sem fazer a mínima força sempre está na frente de todos?

46. Qual a flor que se torna perversa se lhe acrescentarmos uma letra?

47. O que há de agudo no círculo?

Respostas: 41. Tubarão; 42. A letra "U"; 43. OrTHORgrafia; 44. A letra "O"; 45. A letra "T"; 46. A violeta (violenta);
47. O acento.

LÍNGUA PORTUGUESA

48. O que tem duas sílabas, faz parte da matemática; mas, invertido, é encontrado nas flores e nas plantas?

49. O que é goiaba na quinta e abacaxi na segunda?

50. Qual a ação que mesmo ao contrário dá no mesmo?

51. Onde o malfeitor pode encontrar compreensão e amor?

52. Qual é o coletivo de “tomate”?

53. Qual é o nome de parte do corpo que, tirando-se uma letra, fica vazio?

Respostas: 48. Somar e ramos; 49. A letra “B”; 50. Subi no ônibus; 51. No dicionário; 52. Ketchup; 53. Boca (tire o “B” e fica “OCA”).

LÍNGUA PORTUGUESA

54. O que todo mundo põe em cima do armário?

55. O que é nome com duas sílabas que se usa para ensinar ou confirmar algo; mas, quando invertido, significa um ato litúrgico de muita importância no catolicismo?

56. Do que todos precisam matemática, mas quando se tira a primeira letra do nome, passa a ser nome de pessoa?

57. O que faz falta a um passo para que ele se torne um instrumento de desenho?

58. **O que há no chapéu e no boné, mas não há na boina nem no barrete?**

59. Qual o ditado absolutamente inútil por não ensinar nada além do que já se sabe?

60. Qual é a palavra que, lida de trás para a frente, tem mesmo significado, tem três letras, mas é uma letra só?

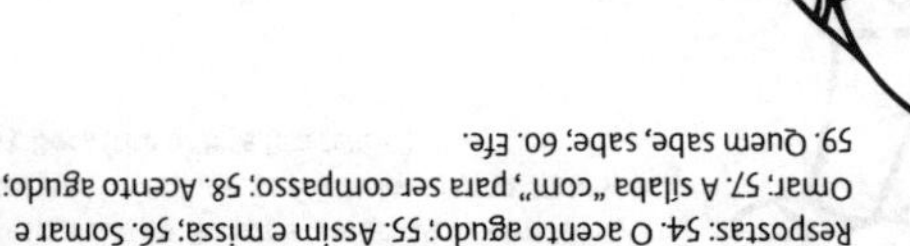

61. O que falta a uma neta para que ela possa escrever?

62. O que tem tanto na luz quanto na escuridão?

63. O que vive no chão e a gente põe no pão?

64. O que o gafanhoto traz na frente e a pulga, atrás?

65. **Qual o nome da cantora que, junto de um alimento, vira cobertura?**

66. Qual o pé que vem do céu?

67. O que tem no meio do coração?

Respostas: 61. A sílaba "ca", para ficar "caneta"; 62. A letra "U"; 63. O til (~); 64. A sílaba "ga"; 65. Gal, pois, com o pão, vira "galpão"; 66. Pé-d'água; 67. A letra "A".

LÍNGUA PORTUGUESA

68. O que ninguém quer ter, e, tendo, não quer perder?

69. O que o chapéu tem ao redor e a goiaba tem no fim?

70. O que acaba com tudo, com apenas três letras?

71. Antigamente, farmácia se escrevia com PH, e hoje?

72. **Qual a primeira ordem que é dada na escola?**

73. Qual o pé que a pessoa econômica faz?

74. Quando um juramento é burro?

Respostas: 68. Questão; 69. Aba; 70. A palavra "fim"; 71. H-O-J-E; 72. A ordem alfabética; 73. Pé de meia; 74. Quando lhe tiramos o "ra".

75. Qual nome de animal se pode escrever com "R" após "A"?

76. O que a avarenta tem várias e a rica, uma só?

77. Qual é a palavra mais longa em português?

78. **Que elemento químico se vê em auditório?**

79. Qual é o maior diplomata de nossa língua?

80. Qual a letra que só o entendido pode ler?

Respostas: 75. Raposa (r após a); 76. A letra "A"; 77. É "palmilhar". Entre a primeira sílaba e o "r" há uma milha; 78. Tório; 79. O hífen, que liga tudo a todos; 80. O pingo. Para o bom entendedor, pingo é letra.

LÍNGUA PORTUGUESA

81. O que sempre divide um guarda-roupa?

82. Qual a menor interjeição que pode expressar dores imensas?

83. Quando o verbo “acabar” nunca acaba?

84. **O que o cachorro tem mais do que a baleia?**

85. Qual o nome de animal que é mais abrangente?

86. Qual o prato que dá inspiração aos escritores?

Respostas: 81. O hífen; 82. Ai!; 83. Quando está no infinitivo; 84. O número de letras no nome; 85. Avestruz, pois vai de A a Z; 86. A sopa de letrinhas.

LÍNGUA PORTUGUESA

87. Qual é a ordem que se dá com a intenção de expulsar e cujo nome é uma roupa?

88. Qual a citação de Shakespeare que se tornou um dilema para o revisor?

89. Quem necessita de um auxiliar, mas vive variando de pessoa?

90. Qual a hora que está no alfabeto?

91. Onde começa e termina o orifício?

92. **O que vem após a sopa?**

93. Qual o pé que trabalha muito?

Respostas: 87. Saia; 88. "C ou não C?", "Eis a questão!"; 89. O verbo; 90. A hora "h"; 91. Na letra "o"; 92. O ponto de interrogação; 93. Pé de cabra.

LÍNGUA PORTUGUESA

94. O que todas os meses têm, menos abril?

95. Qual é a letra que, com uma corda, não nos deixa dormir?

96. **Qual é a letra que, com um lado, me deixa resfriado?**

97. Se querem bem amassado, usem-na com a letra "P";
dobrem, porém, de cuidados, se empregarem o "v".

98. Qual é a letra que, quando é culta, se esconde?

99. O que são dois sinos iguais em uma torre?

100. O que um neném tem mais que uma criança?

Respostas: 94. A letra "O"; 95. A letra "A" (A + corda); 96. A letra "G" (ge+ lado); 97. Pilão/vilão; 98. A letra "O" (oculta); 99. São sinônimos; 100. A letra "N".